JN106196

遠く離(はな)れたところからだと
小さな惑星(わくせい)のように見える石。
大陸と海、それに島もある。
宇宙飛行士の目には、雲におおわれた地球が
こんなふうに見えているのかもしれない。

Bruno Munari

DA LONTANO ERA UN'ISOLA

遠くから見たら島だった

ブルーノ・ムナーリ

関口英子訳

創元社

Bruno Munari
Da lontano era un'isola

© 1971-2006 Bruno Munari
All rights reserved by Maurizio Corraini s.r.l.
First edition 1971
Corraini first edition, October 2006

Japanese translation license authorized by Maurizio Corraini s.r.l., Mantova Italy through Fortuna Co., Ltd, Tokyo

石は、発見に満ちた世界だ。
形や色や模様（もよう）、でっぱりやへこみがさまざまで、
いくらでも飽（あ）きずにながめていられる。

石は、海や川による彫刻（ちょうこく）だ。
それぞれに異なり、ひとつとしておなじものはない。
芸術作品と同様に、どれも「この世にたったひとつ」の存在。

石ころだらけの場所ですごすヴァカンスほど、楽しいものはない。
たとえば、レヴァント付近の海岸には、大理石の石が落ちている。
山のほうに大理石の採掘場があるからだ。
(カッラーラをはじめ、おなじような海岸はほかにもある)
色のきれいな筋の入った石が見つかると、見ているだけでわくわくする。
ガルガーノ半島の海岸では、鍾乳石や石筍の破片が転がって摩耗した石が見つかる。
エルバ島のむかい側のバラッティ海岸には、隕石のように美しい鉄の石もある。
その昔、エトルリア人が、エルバ島から運び出した鉄をここで鋳造していたからだ。
作業の過程で生じた鉄片や鉄くずが海の水によってけずられ、石のようになった。
このあたりでは、エルバ島と同様、きらきら輝く雲母の粉やシエナの黄土にまじって、黒い砂鉄も見つかる。

そんな美しい砂浜にいるほとんどの人たちが、
まれに見る「この世にたったひとつ」の作品群の上にすわり、マンガを読んだりラジオを聴いたりしている。

ひとつひとつ異なるたくさんの石。
つやつやで黒い石や、くすんだ白の石。
カボチャみたいに黄色い石や、小さなサクランボみたいな赤の石。
チョコレート色の石もあれば、白い線の入った黒い石もある。
緑に、ちがうトーンの緑の斑点(はんてん)が入った石、
灰色と黒の石や、ガラスの破片がまじったようにきらめく石。
５リラ硬貨(こうか)ほどの大きさの石が、こんなにたくさん。

いくつもの細かな石が、
アーモンドヌガーみたいにひとつに固まった石もある。
食べられないけれど、茹(ゆ)でてみることはできる。

こちらは、使いかけの石鹸(せっけん)みたいに
角のとれた石たち。
まだ陽射(ひざ)しのぬくもりが感じられる。

形も素材もおなじだけれど、
ひとまわりずつ小さな石を８つ積みあげたら、
先史時代のふしぎなオブジェのできあがり。

卵みたいにすべすべの石があるかと思えば、
スポンジみたいに小さな穴だらけの石もある。
ならべるとコントラストがあざやかになって、
すべすべの石はますますすべすべに、
ざらざらの石はますますざらざらに見える。

コントラストの組み合わせを集めてみるのもおもしろい。
球体の石と、立方体の黄鉄鉱（パイライト）。
真っ白な石と、真っ黒な石。細長い石と、長細い石（？）。
海に浮（う）かぶ軽石と、鉄の石。

そんな組み合わせの石を集めるには、
お金をかけて旅をする必要があるけれど、
石を探すためにわざわざ旅をしたなんて、
だれも信じてくれない。
だから、引き出しのすみでたまたま見つけたことにしておこう。

灰色に白い線の模様がある石は
リグーリア海の砂浜でよく見かける。

ひもを巻かれた黒い石と、包帯を巻かれた灰色の石。

どちらの石も、白い部分は天然の模様だから、
ひもか包帯かは、線の太さによって見分ける。

みんなそろって鼻が高い家族がいるように、
この石の家族は、どれもおなじ場所に
おなじような模様が入っている。

おなじ家族の石が３つ。
みんなそろって黒に白の胴巻きをしている。
黒い部分は硬いから太く、白い部分は軟らかいから
けずられて、くびれている。

よく探してみると、
無数の石のなかには
二重線の入った石も見つかる。

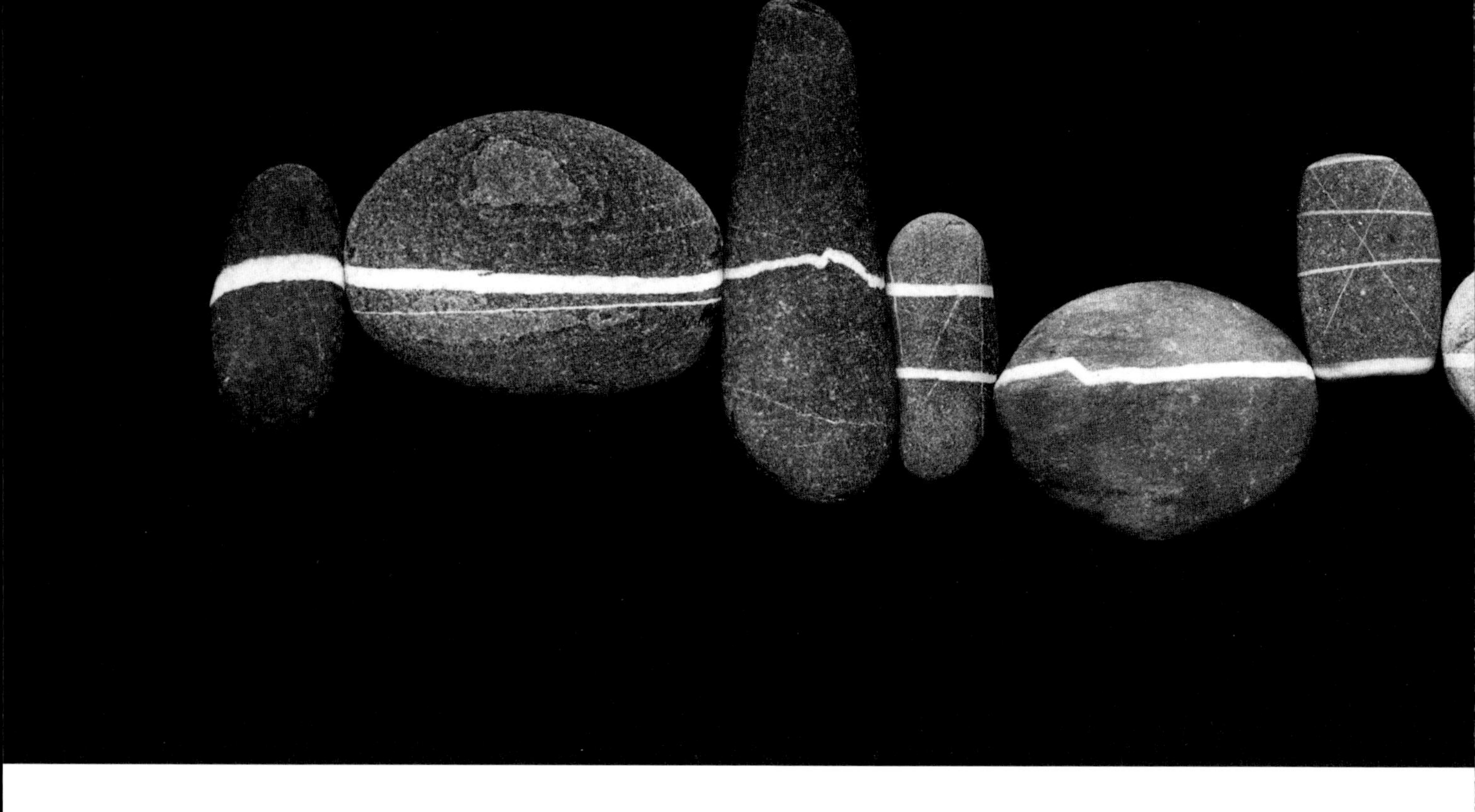

白い線が入った石を、いくつも１列にならべたことがあるだろうか。
バラッティ海岸で、子どもたちと一緒に、線の入った石で長い線を引いてみた。
波打ちぎわから、砂浜を越えて、草むらまでつながる線だ。
砂浜を２つに分ける境界線みたい。
そして、通る人がどんな反応をするか、すわって観察した。
境界線に気づいた人はごくわずか。
見向きもしないでまたぐ人もいたし、石を蹴ちらす人もいた。
１匹の犬が立ち止まって、石のにおいを嗅いでいた。
次の日に見てみたら、線はところどころ壊れていた。

この遊びをするときに、十字模様の石があると、方向を変えるのに役立つ。

白い線がやたらとたくさん入った石もある。
線をじっくりながめていると、
しだいに、森のなかでからみあう
つる植物のように見えてくる。

そんなときには、たくさん線の入った石をひとつ選び、
白い線をつかんでいる猿（さる）の絵を描（か）いてみよう。
つるにしがみついているように見える。

石に絵を描くときの注意点。

表面がすべすべの石は、絵が描きやすく、
ざらざらしている石だと、うまく描けない。
絵を描くときには、石をしっかり乾かしてから、
墨を使って細筆で描くか、筆ペンを使うといい。
なにを描くにしても、石の表面にある天然の模様を
じっくりと観察してから、どこになにを描くか決めること。
白い線がくっきりと浮きあがっているように見えたら、
つるをよじのぼる動物を描いてみる。この場合は猿だ。
片手の一部は線に隠れて見えない。
白い線の上に指だけ描けば、つるをつかんでいるように見える。
墨は石に吸収されるので、ぬれても消える心配はない。
まちがえた線を消したい場合には、とがったものを使って
石の表面をけずるといい。
ところで、線が石の裏側にもあったら、なにを描けばいいのだろうか。

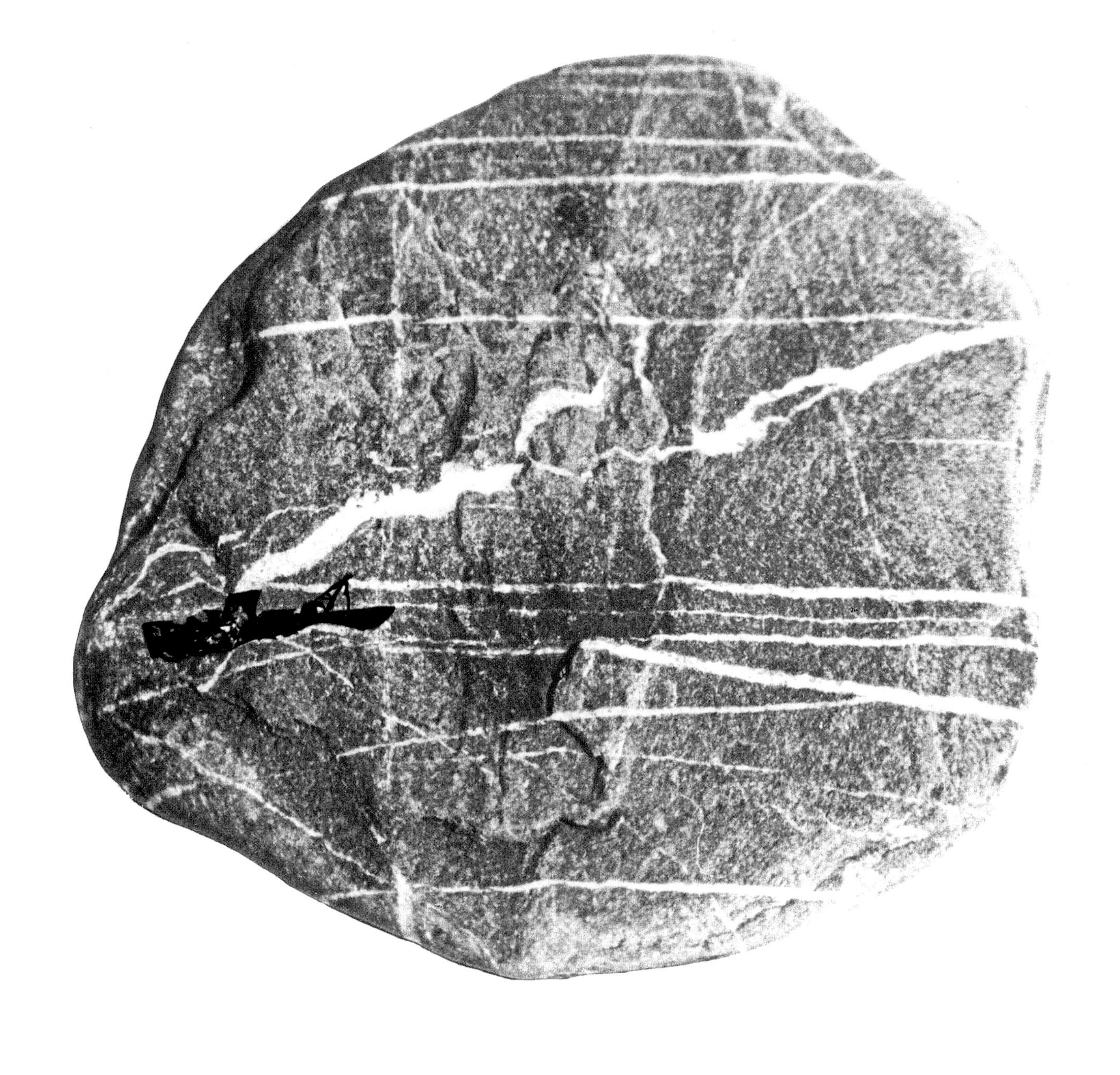

天然の白い線を煙(けむり)に見立てたら
遠ざかる蒸気船があらわれた。

今日は海が荒(あ)れているから、海水浴はできない。
大きな波が打ち寄せているときには、泳ぎの達人でもないかぎり
海に入ったら危険だ。

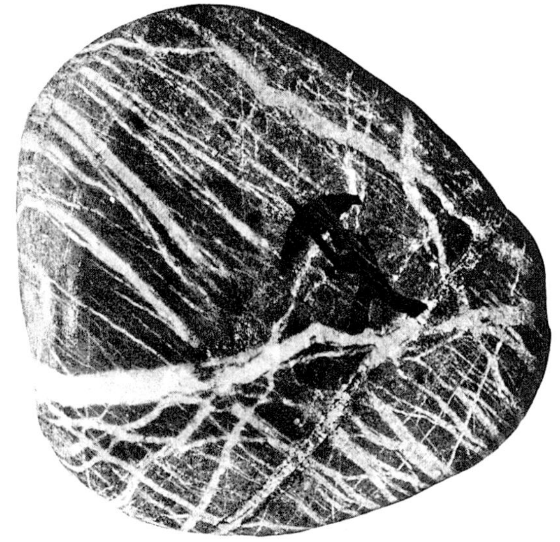

ざあざあざあざあ降る雨のなか
坂道をのぼったりくだったり
歩いても歩いても家にたどりつかない。
雨はざあざあざあざあ降るばかり。

天然の白い線の後ろに黒猫（くろねこ）が隠れている。

木の枝みたいな
線の上に
大嘴鳥（トゥカーノ）を
描いてみた。

砂浜でのんびりくつろいでいる
と思っていたら、
だれかの手のひらの上
ということもある。
さて、いったいだれの手だろう。

石にある白い線は、小さな山をぐるりとまわる道みたい。
自転車で走っている人の絵を描きこめば、
山の裏側になにがあるのか、見に行くことだってできる。
ページをめくると……

……おなじ方向に走っていく犬がいた。
さて、ここでひとつ問題だ。
犬が自転車に乗った人を追いかけているのかな？
それとも、自転車に乗った人が犬を追いかけているのかな？
答えは孔子（こうし）に訊（き）いてみよう。

そうこうしているうちにまた雨が降ってきて、
あわれな鼠(ねずみ)は砂浜の葦(あし)のしげみで雨宿り。

海のむこうを船が進んでいく。そのあいだも
海は石とたわむれ、魚の形にけずっていく。

林のなかを散歩しながら
松ぼっくりを探す人。

砂浜には、ニセモノの石も転がっている。

松の木の皮の石。

海岸松（かいがんしょう）の木片の石。

ヤシの木の石。

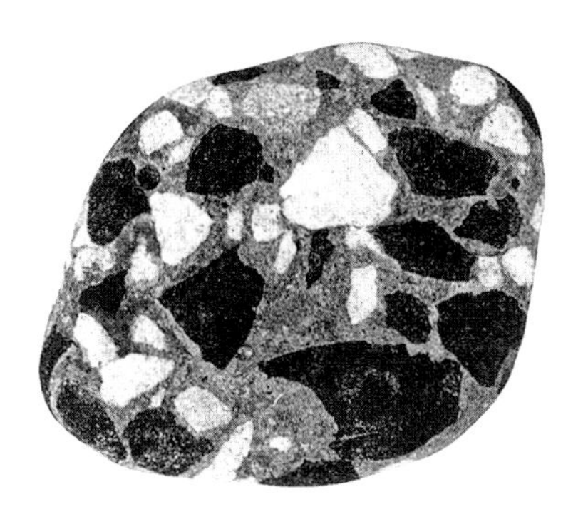

タイルのかけらでできた石。

緑色のガラスの石。

よく見かけるのが、焼いた土（テラコッタ）の色をしたテラコッタの石。

それと、軽石でできた、浮かぶ石だってある。

旧石器時代の洞穴がある石。（本物かな？）

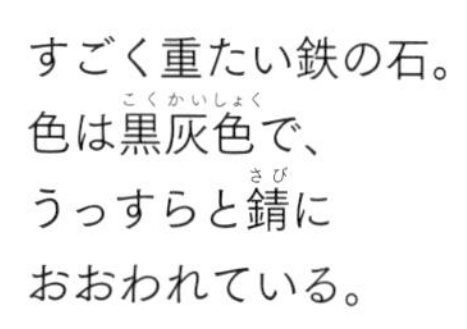

すごく重たい鉄の石。
色は黒灰色で、
うっすらと錆に
おおわれている。

高原のある石。「山のミニチュア」として、この石をながめてごらん。
上のほうに高原があるのがわかるだろうか。むかって左側に２つの岩が突き出していて、
夏の陽射しをよけられる場所がある。その近くの山道をのぼっていくと、そこは頂。
霧さえ出ていなければ、眼下にオナジーナ湖が見晴らせる。

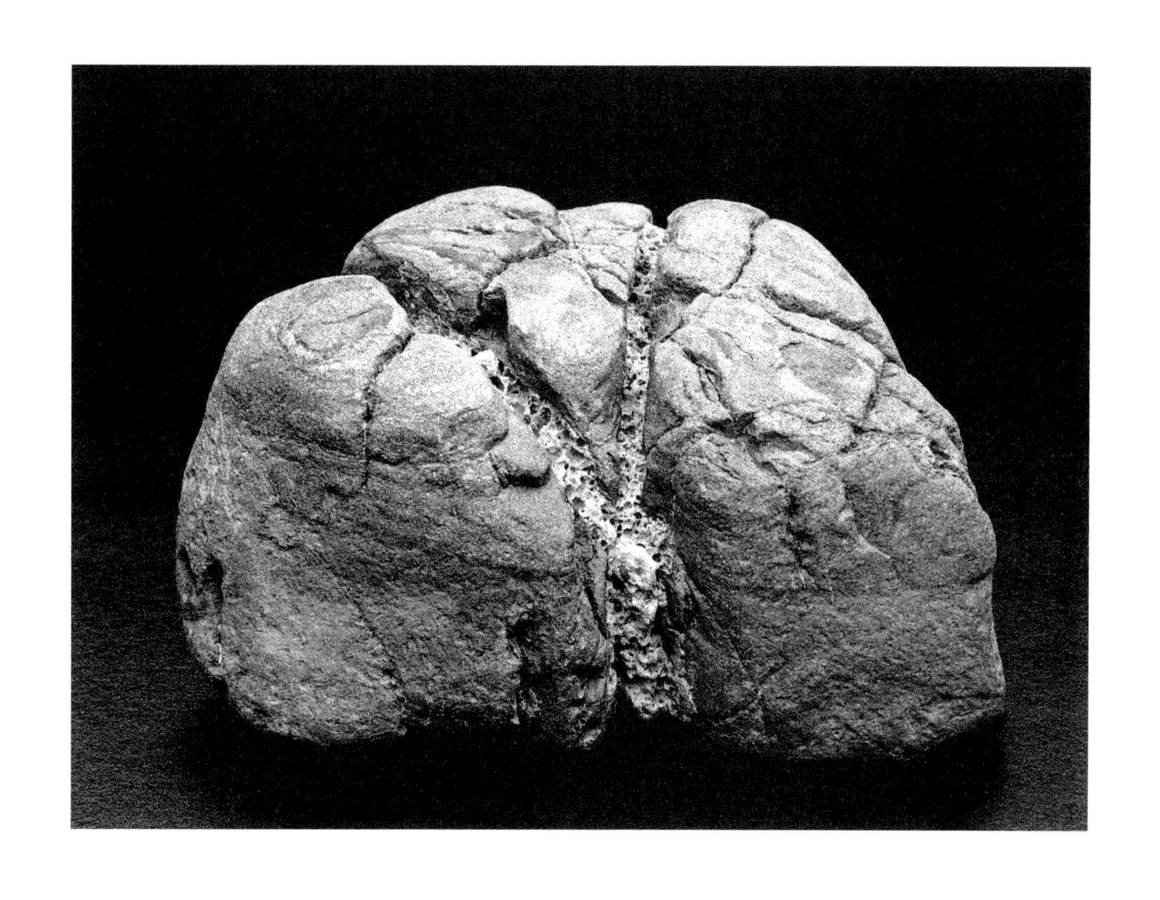

氷河のある石。
オリーブ色の石に、とけかかった白い氷河。
ごらんのとおり、この山には、2本の岩溝(ルンゼ)があり、
真ん中あたりで1本に合流し、下まで続いている。

オリンピノ山の登山道で見つけたこの石は、
薄い灰色と濃い灰色が層をなしている。
薄い灰色の部分は濃い灰色の部分よりも軟らかく、摩耗している。

これは謎の石だ。まだ、私たちの身のまわりの世界との関係性が
よくわからないので、これからじっくりと観察を重ねる必要がある。

島に見える石の一部を拡大してみた。
近くから見ると、ずいぶん高くそびえているように感じられる。

この緑がかった石は、7センチほどの大きさだが、
山の斜面のように見える。(右ページの拡大写真も見てごらん)
山頂まで続く登山道に、スイス人の観光客の団体がいるのがわかるだろうか。
(目を凝らさないと見えないかも)
そのうちの1人は、なんと裸足だ。(信じられない！)

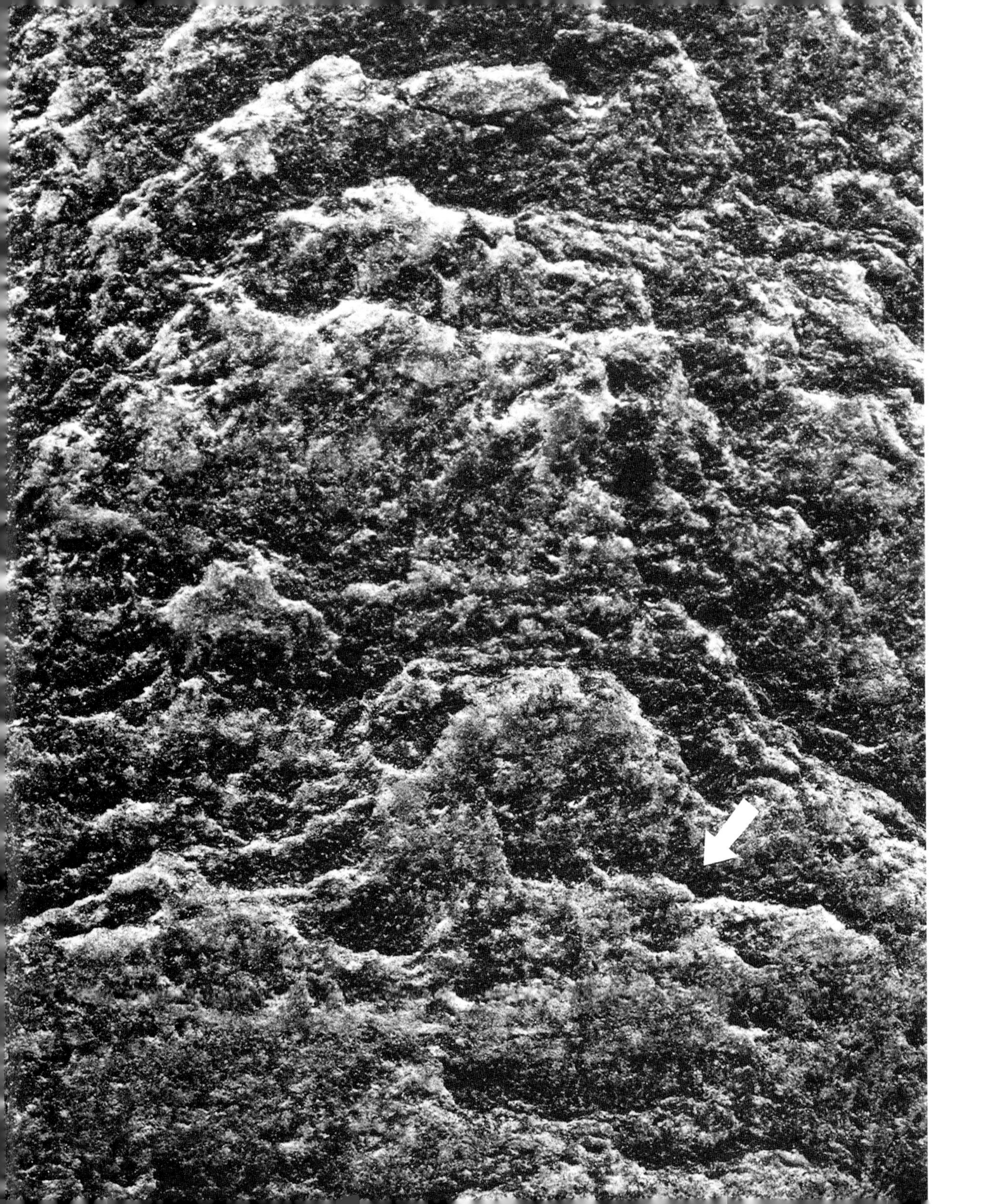

この途方もなく大きな山は、スイスの採石場で見つけた花崗岩のかけらだ。
少し離れて見たほうがいい。

この石にもたくさんの洞穴がある。
虫メガネで見るように、
一部分を拡大してみよう。
だれも住んでいる気配はない。

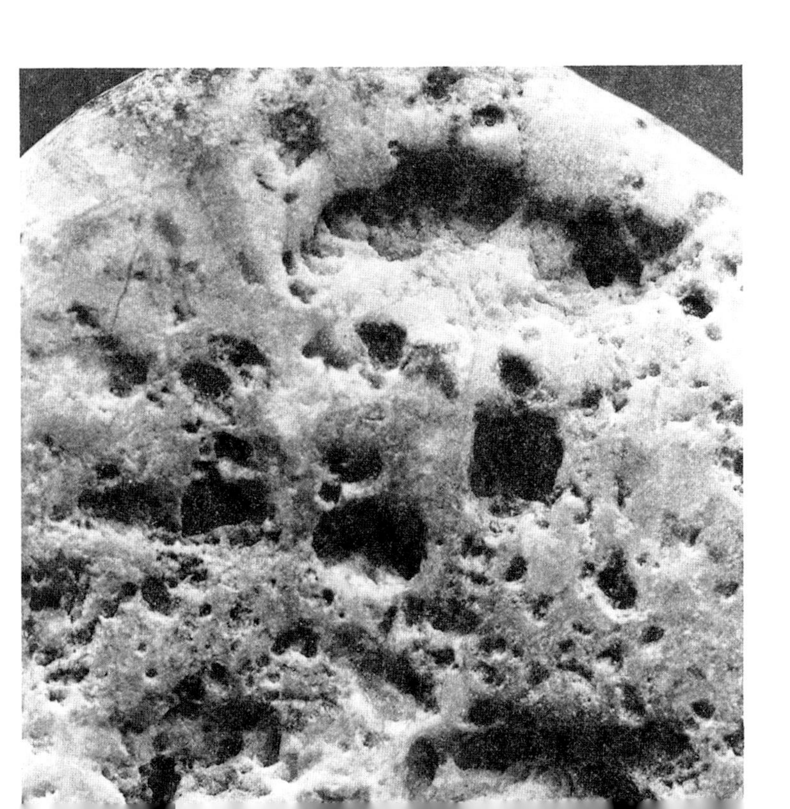

遠くから見ると島みたいだ。
建物やテラス、いくつものスロープがある。
人も動物も見当たらないし、近くにはカモメも飛んでいない。

雲と海がなければ、島の形をした、ただの石。

島の裏側にまわってみると、さらに険しい地形があらわれた。
これではとても住めそうにない。それもそのはず、この島は縦6センチ、
横 14 センチの石なのだから。子どものカモメよりも小さい。

パナレーア島からながめたダッティロの小島。
ゴシック様式の島みたい。まさかこれも石ではなかろうね。

(手前に見える木は、アーモンド)

謝辞

本書の製作にあたり、以下の友人写真家の
ご協力をいただいた。
ここに感謝の意を表する。——著者

● Mario de Biasi：カバーと見返し、および p.44, 45 の写真
● Italo Cavalleri：p.47 の写真
● Ugo Mulas：p.27, 28, 33 の写真
(Mulas Photo Ugo Mulas © Ugo Mulas Heirs. All rights reserved. 権利継承者の許諾に感謝する。)
● Giorgio Furla：p.14, 15, 18, 19, 20, 34, 35, 36, 37, 38, 39, 42, 43 の写真
● Sergio Anelli & Alberto Munari：そのほかの写真

出版社より、ブルーノ・ムナーリのご友人諸氏に
改めて感謝いたします。

ブルーノ・ムナーリ（Bruno Munari, 1907-1998）

美術、グラフィックデザイン、プロダクトデザイン、教育、絵本制作など、幅広い分野で独創的な活動を行った表現者。1930年代にはイタリアの芸術運動「未来派」に参加し、《役に立たない機械》シリーズなどを発表。広告や雑誌のグラフィックデザイナー、アートディレクターとしても活躍する。1940年代には息子の誕生をきっかけに絵本の制作を開始。また、仲間とともに具体芸術運動を主宰し、イタリア現代美術の先端を進んだ。1950年代以降は家具や照明器具など多くの工業製品のデザインを手がけたほか、デザイン教育にも力を入れ、アメリカのハーバード大学やイタリアのブレラ美術学院などで教鞭をとった。子ども向けの造形ワークショップや玩具の開発にも力を注いだ。『たんじょうびのおくりもの』『木をかこう』『ファンタジア』『ムナーリの機械』『かたちの不思議』シリーズなど邦訳書多数。

関口英子（せきぐち・えいこ）

1966年、埼玉県生まれ。イタリア文学翻訳家。大阪外国語大学イタリア語学科卒。訳書に、ジャンニ・ロダーリ『羊飼いの指輪　ファンタジーの練習帳』『チポリーノの冒険』、イタロ・カルヴィーノ『マルコヴァルドさんの四季』、ディーノ・ブッツァーティ『神を見た犬』、プリーモ・レーヴィ『天使の蝶』、パオロ・コニェッティ『帰れない山』など、児童書から文芸書まで多数。『月を見つけたチャウラ　ピランデッロ短篇集』で第一回須賀敦子翻訳賞受賞。

遠（とお）くから見（み）たら島（しま）だった

2023年12月20日　第1版第1刷　発行

著者　ブルーノ・ムナーリ
訳者　関口英子
発行者　矢部敬一
発行所　株式会社 創元社
https://www.sogensha.co.jp/
本　社　〒541-0047 大阪市中央区淡路町4-3-6
Tel. 06-6231-9010　Fax. 06-6233-3111
東京支店　〒101-0051 東京都千代田区神田神保町1-2田辺ビル
Tel. 03-6811-0662

ISBN978-4-422-44041-5　C0044　Printed in Japan

装丁・組版　山田英春
印刷　図書印刷株式会社

〔検印廃止〕落丁・乱丁のときはお取り替えいたします。

JCOPY〈出版者著作権管理機構 委託出版物〉

本書の無断複製は著作権法上での例外を除き禁じられています。
複製される場合は、そのつど事前に、出版者著作権管理機構
（電話 03-5244-5088、FAX 03-5244-5089、e-mail: info@jcopy.or.jp）の許諾を得てください。